남킹의 음악과 글

남킹

https://brunch.co.kr/@wonmar

소설가. 남킹 컬렉션 #001 – #444 출간을 목표로 합니다.

스페인 알리칸테 거주.

발 행 | 2024-01-17

저 자 | 남킹

펴낸이 | 한건희

펴낸곳 | 주식회사 부크크

출판사등록 | 2014.07.15(제2014-16호)

주 소 | 서울 금천구 가산디지털1로 119, A동 305호

전 화 | 1670 – 8316

이메일 | info@bookk.co.kr

ISBN | 979-11-410-6717-5

본 책은 브런치 POD 출판물입니다.

https://brunch.co.kr

남킹의 음악과 글
브런치 스토리

남킹

목차

Eric Carmen – All By Myself

I Want You to Want Me

Haley Reinhart – Creep

Anne of the Thousand Days

Today is the New Tomorrow

Carpenters – Only Yesterday

AaRON – Le Tunnel d'or

Archive – Bullets

신승훈 – 보이지 않는 사랑

NU – Man O To

OMER BALIK – Coffee Blues

Kwoon – Blue Melody

Cigarettes After Sex, Live

마르 데페스에게 이 책을 바칩니다.

남킹 컬렉션

Analog Guy In A Digital World

남킹의 음악과 글

Martin Roth - An Analog Guy In A Digital World

1.

오랜 시간, 나는 빨리 잠들지 못했다. 잠을 청하기 위한 행동은 늘 비슷하기 마련이다. 불을 끄고, 음악 볼륨을 줄이고, 휴대폰을 내려 놓고, 무겁고 시린 눈을 감는다. 그리고 부드러운 베개에 뺨을 갖다 댄다. 그러면 향긋하거나, 무겁거나, 혹은 투명한 하루가 내 곁에, 과 거로 남는다. 기억은 의식을 종용하지만, 나는 그냥 내버려 두려고 노력한다. 아니, 시도조차 하지 않는다. 몽환적인 길에 발을 뻗기 위 해 <내려놓음>으로 간다. 하지만 늘 알 수 있듯이, 불편한 육체는, 쉽게 의지를 떼어내지 못한다.

의식은 느리거나, 빛보다 빠르게, 혹은 체감할 수 없는 속도로, 비정 형의 사고와 모순, 질서 정연한 논리와, 대범한 설득과 이야기를, 펼 치거나 자르거나 혼합한 문장으로 변모한다. 마치, 처음과 끝을 알 수 없는 실과 같다. 실타래에서 흩어져 나와 엉킴 속으로, 활자는 벽 과 공간을 마련하고, 시간을 줄 위에 새겨 둔다. 나는 방관자적 시점 으로, 능청스럽게 만져보지만, 그것이 먼 과거인지, 지금인지, 가까운 미래인지는 알 수 없다.

경적이, 덜컥이는 창으로 숨어든다. 뒤이어 사이렌 소리는 거리의 높 낮이를 알려주고, 허공에 긴장을 날린다. 낮은 속삭임의 바람. 그 속 을 탐닉하는 새는, 밤을 잊은 사람들의 웅성거림을 가벼이 여기는,

지저귐을 주곤 한다. 나는 몸을 뒤척인다. 불편한 허리가 고마운 듯, 한숨을 선물한다. 나는 다시, 모로 누워, 저 멀리 두둥실 떠가는 상상을 다시 잡으려고 애쓴다.

흑백의 작은 집. 부엌은 좁고, 연탄아궁이에는, 이글거리는 연기를 타고 오르는 오렌지색 구진이 짧은 생을 끝내고 사라진다. 방과 문지방을 지나면 마당. 돌멩이를 품은, 흙에 새겨진 빗질을 따라가면, 비걱거리는 문이 떨어질 듯 위태로운 변소. 그것을 에워싼 시멘트 블록은 낮은 담벼락을 제공하고, 거북스럽게 벽에 붙은 구기자나무는, 타원형 잎을 건들거리며 보라색 꽃을 닮는다. 검붉은 혈관을 따라, 다섯 개 팔을 활짝 펼친 작은 꽃. 붉은 열매는 지독하게 어둡고 거친 한여름의 폭풍을 따라 심하게 흔들린다.

버스 민폐녀

남킹 슬픈 이야기

남킹 컬렉션 #027 　　　　　소설집

남킹 SF

소설집

브런치 스토리

남킹 컬렉션 #026

Kwoon – Schizophrenic

Kwoon - Schizophrenic

2.

생각은, 내 기억에 자국을 남겼던 과거와 현재의 불안한 동거, 미래의 폐허가 된 세상이 특이한 모습으로 섞여서 나타난다. 마치 나 자신이 방관자적 시간 여행자가 되기도 하고, 천국과 지옥을 주관하는 절대자 혹은 단속적인 인간 군상을 이어주고 증명하는 역사학자이기도 하다. 그리고 이러한 상념은 내 방의 창이 환하게 밝을 때까지 계속되었다. 또 다른 하루가 시작되고 내 인생의 하루가 지워진 것이다. 지워진 하루에 특이점이 없다면 망각의 강으로 시간이 잠들 것이다. 하지만 나는 망각의 강에 빠지기 전, 빼어난 구성과 탄탄한 스토리로, 물 흐르듯이 자연스럽게 엮이고 이어진 기억을 최대한 빼내려고 애를 쓰곤 한다. 나를 나로부터 떼어낸다. 그리고 몇 걸음 뒤로 물러선다. 그러면 차분한 상념 속에 몸을 늘린 채, 편안히 내 속에 누워있던 이야기가 화들짝 놀라, 흐트러지고 부서지며 달아난다.

나는 밝음 속에, 바위처럼 무거운 눈꺼풀을 억지로 올리고 음악 볼륨을 높인다. 그리고 나는 늘 그렇듯이 문을 열고 거리로 나선다. 친절한 이정표와 반듯하고 정돈된 도시의 안내에 따라 나는 오랫동안 돌아다닐 것이다. 날씨가 궂건 좋건, 춥건 덥건….

길을 나설 때마다 나는 생각을 남겨 두고, 시각을 수식하는 공간의

변화와 살갗을 자극하는 바람에 <마음 쏟음> 상태로, 지친 육신의 거친 반항에 굴복할 때까지, 걷기는 계속될 것이다. 내가 사는 도시는 지독하게 넓고 구불거리고 복잡하고 번잡하므로, 나는 늘 불안한 눈동자의 이방인으로 남게 된다.

그러므로 내가 사는 곳은, 사랑스럽기 짝이 없는 <아무것도 아님>이다.

서글픈
나의 사랑

남킹 장편소설

남킹 컬렉션 #025

길에 내리는 빗물

남 킹 소 설 집

남킹 컬렉션 #024

Kwoon – I lived on the Moon

3.

나는 거리로 나와, 팔을 내려뜨린 채, 이리저리 좁은 골목을 차분하
게 걷는다. 창가에 어른거리는 행인, 광고판, 자동차, 쓰레기통, 종려
나무, 나의 얼굴이 굴곡을 이루며 지나간다. 그런 광경이 너절하게
발생하고, 몇 번의 방향 뒤틀기가 이어지면, 어느새 먼지를 품은 회
색 도로가 넓어지기 시작하고, 나의 상념은, 마치 내 머릿속, 후갑판
의 두꺼운 해치를 윈치로 감아올리듯 끙끙거리며, 조소 어린 기억의
냉담함에 부딪히곤 한다. 그건 고통이고 통증이다. 그러므로 나는,
늘 하루에 한두 시간 정도 눈을 붙인 것을, 위안이라는 안줏거리로
삼고, 어지러웠던 간밤 꿈자리의 연속에 취하기를 바라거나, 나도 알
수 없는 망상을 창조하기를 소망한다.

혹은, 하이퍼 리얼한 외관 안에, 현대인이라면 의당 그러함을 추구하
듯이, 딱딱한 갑피를 덮고 숨어들기를 원한다. 나를 형용하고, 왜곡
하고, 협소한, 하지만 멋진 외관의 아바타 말이다.

남킹 컬렉션 #003

신의 땅
불의 꽃

남킹 판타지 SF

남킹 장편소설

거짓과 상상 혹은 죄와 벌

남킹 장편소설

남킹 컬렉션 #002

Ennio Morricone - Malena

바다는 일을 하고
나는 글을 씁니다.

바다는 일을 싫어하고
나는 글쓰기가 괴롭습니다.

하지만 바다는 일을 해야 하고
나는 글을 써야 합니다.

바다와 나는 서로 사랑합니다.

남킹 컬렉션 #018

천일의 여황제

세빈의 남자

남킹 판타지소설

남킹 컬렉션 #017

스네이크 아일랜드

1권

죽고싶지만 복수는 하고 싶어

남킹·판타지 스릴러

Analog Guy Digital World Pt II

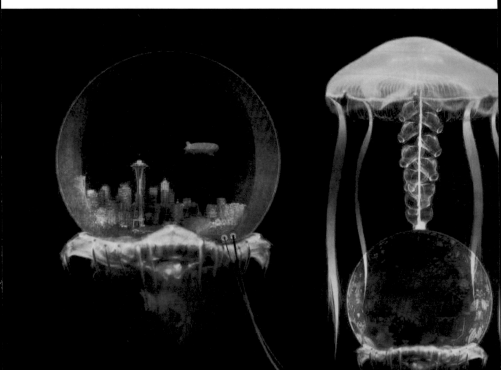

Martin Roth – An Analog Guy In A Digital World Pt II

경각심을 일깨우는 경적이 울린다. 주정뱅이 노래가 하늘에 퍼진다. 어둠이 깔리면, 지친 오감은 지나치게 민감하고 감정적이다. 햇빛에 눈뜨며 기대했던, 섬뜩하고 요사스럽고 끔찍한 수수께끼 같은, 고난에 찬, 하지만 심장을 두근거리게 만드는 상상은, 마치 늙은 마법사가 주술을 걸은 듯이, 넋을 바치고 맥없이 꼬꾸라진 상태다. 백지상태. 푸줏간에 걸린 고깃덩어리.

가벼움에 대한 예의로 그대들에게 안부를 전한다.
단순한 벗어던짐의 무게로 부유하는 영혼과 가슴
향기로운 입맞춤은 보여줌을 수식하고 진단하니
무거움은 돌아서 속박의 굴레 마차에 받혀 피를 쏟는다.

그것은 아무것도 아님으로 향하는 거친 도로.
뜨거움이 비열함의 노예가 되고
상징처럼 따가운 당신의 피부는 흐느적거리는
한심함이 어눌하게 눌려 있는 곳의 공간으로 흩어지고
이제 춤을 퍼트리는 망상곡이 나를 대신할 뿐.

그러므로 몸을 흔든다.

남 킹 판타지 소설집

하니은 매화

남킹 컬렉션 #015

남킹 컬렉션 #013

남킹의 문장 2

언어의 마법사 남킹의 문장들

Gabriel's Oboe

미션 The Mission, 1986
OST : Ennio Morricone - Gabriel′s Oboe

바다는 넷플릭스를 띄우고
나는 유튜브를 클릭합니다.

바다는 드라마를 시청하고
나는 최근 뉴스를 봅니다.

TV 화면에는 악인이 주인공을 괴롭히고
모니터에는 전쟁으로 폐허가 된 세상이 펼쳐집니다.

바다와 나는 서로 안쓰러워합니다.

남 킹 컬 렉 션 # 0 0 1

그레고리 흘라디의 고요한 죽음

남킹 장편소설

버스 민폐녀

남킹 슬픈 이야기

남킹 컬렉션 #027

Godfather - Apollonia Theme

The Godfather - Apollonia Theme

바다는 BTS를 좋아하고
나는 포스트 록에 빠져 있습니다.

바다는 리듬에 맞춰 흥겹게 춤추고
나는 음악 물결에서 이야기를 건져냅니다.

그리고 바다는 나의 글을 즐겨 읽고
나는 바다의 춤에 행복을 느낍니다.

바다와 나는 음악을 사랑합니다.

남킹 컬렉션 012

남킹의 문장 1

언어의 마법사 남킹의 문장들

남 킹 판타지 소설집

하니은 매화

남 킹 컬렉션 #015

Enya - Only Time

바다는 자신을 닮은 푸른 하늘을 좋아합니다.
나는 하늘과 맞닿은 부드러운 바다를 사랑합니다.

바다와 나는
따스한 햇볕과 솜털 같은 미풍이 부는 날이면
올리브, 레몬, 오렌지, 밀감, 종려나무가 반기는
바다로 난 길을 손잡고 걷습니다.

남킹 컬렉션 #017

스네이크 아일랜드

1권

죽고싶지만 복수는 하고 싶어

남킹 판타지 스릴러

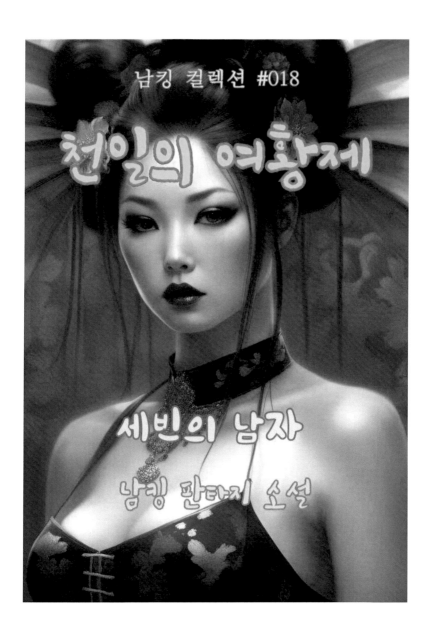

남킹 컬렉션 #018

천일의 여황제

세빈의 남자

남킹 판타지 소설

Kwoon - King Of Sea

남킹의 음악과 글

하늘을 닮아 푸르게 상처 난 바다.

나는 바다에 사진을 새기고 바다는 가슴에 나를 간직한다.

남킹 컬렉션 #001

그레고리 흘라디의 묘한 죽음

남킹 장편소설

거짓과 상상 혹은 죄와 벌

남킹 장편소설

남킹 컬렉션 #002

Woman in Love

Woman in Love - Barbra Straisand

그녀의 이름은 올가였다. 겨울에 처음 만났다. 여자는 털토시를 신고 있었다. 금방 코를 닦았는지 코끝이 반짝거렸다. 그녀는 진한 화상으로 흉한 목을 가졌고 지나치게 크고 무거운 속눈썹을 달고 다녔다. 나는 돈을 주었다.

우리는 다소 형식적이고 평범한 섹스를 하였다. 비교적 이른 시간에 끝났다. 무엇을 하던 감정이 무겁게 뒤따르던 때였다. 나는 물티슈로 그녀의 입과 음부 주위를 닦았다. 그리고 침대 옆 의자에 앉았다. 등받이 위에 두 팔을 괸 채 돌아누운 그녀의 검고 굴곡진 몸을 한동안 바라봤다. 그녀의 크고 물컹거리는 가슴과 달리 뒷모습은 단호하게 보였다. 이윽고 여자는 한쪽 손으로 턱을 괸 채 잠을 청하는 듯 보였다. 적막 속에 그녀의 새큰거리는 숨소리가 느껴졌다.

여자는 그날 밤을 꼬박 나와 지샜다. 나는 감사의 표시로 아침을 대접했고 그녀는 내게 쇼핑을 제안했다.
언제나 거리는 한산했다. 길가에 늘어선 앙상한 가로수 위로 보이는 하늘은 청명하였으나 광채 없는 빛을 발했다. 나란히 늘어선 지붕 처마에는 예외 없이 고드름이 다닥다닥 매달려있었다. 여남은 명 되는 변두리 젊은이들이 바쁘게 길을 갔다.

그녀는 마음이 정한 곳으로 나풀거리며 돌아다녔다. 우울한 날들의 끝자락이었다. 올가는 한가함이 주는 안락함 혹은 의무의 짐에서 풀

려난 듯한 해방감에 빠진 듯했다. 나는 그런 그녀가 부럽고 사랑스러웠다. 우리는 자주 웃고 스킨쉽을 즐겼다. 땅거미가 질 때까지 돌아다녔다. 이윽고 회색 지붕들 위로 불그스름한 햇살이 지친 육신처럼 무거워지기 시작했다.

그날 밤. 나는 여자의 집으로 향했다. 인적이 점점 사라진 도로는 한층 더 어둑했다. 어둠 속에 떠오르던 첫 별빛은 희미했다.

남킹 컬렉션 #003

신의 땅 물의 꽃

남킹 판타지 SF

남킹 장편소설

남킹 컬렉션 #004

심해
deep ocean

남킹 SF 장편소설

Joseph Joseph

음악, 산문

Hot Club du Nax - Joseph Joseph

여자는 집에서 아주 멀리 떠나왔다고 했다. 남자를 만나 아이를 낳았고, 그가 무일푼에 무능력자라는 사실을 알고는, 생존과 가족 부양을 위해 닥치는 대로 일을 했다고 하였다. 매춘도 포함해서.

칠흑같이 어두운 방이었다. 스위치를 켜자, 별안간 쏟아지는 불빛 때문에 눈이 따가웠다. 겨우 사물이 잡혔을 때, 가장 눈에 띈 거는 그녀의 가족사진이었다. 대가족이었다.

"할머니예요. 저를 키우신 분이죠."

나의 시선을 쫓던 그녀는 작은 액자를 가리키며 말했다. 액자 속 여인은 이가 빠져버린 입속으로 입술이 온통 다 말려 들어간 채 편안하게 웃고 있었다. 나는 불빛이 벽에 반사되어 피로를 느끼며 액자를 살포시 들었다가 이내 내려놓았다.

굵은 빗방울이 살짝 젖혀진 창을 헤집고 들어왔다. 붉은 제라늄꽃이 바람에 건들거렸다. 밤이 유리창을 지배했다.

나는 줄곧 혼자였고 내 삶의 대부분을 지탱하는 주제였다. 그건 그녀를 만난 후에도 계속되었다. 나는 올가를 좋아하지만, 같이 살지는 않았다. 우린 일주일 혹은 두 주일에 한 번 정도 만났다. 장소는 늘 호텔이었다. 내가 모든 경비를 지출했다. 심지어 생활비까지 주곤 하였다. 나는 그다지 부자는 아니었다. 그래서 그녀에게 주는 돈은 따로 모았다.

그렇게 두 달을 보냈다. 하지만 곧 이별이 찾아왔다.

"아들이 사라졌어요."

그녀는 줄곧 밑으로 향하던 시선을 위로 천천히 들어 올렸다. 우수와 불안과 의지가 서린 눈빛이었다.

"그래서 차를 빌렸어요."

1월의 비가 내리던 그 날. 그녀는 우크라이나로 떠났다.

어떤 때는 그렇다. 지나치게 많은 것들이 보여서 눈을 감아 버리고 싶을 때가 있다. 지나치게 많은 것들이 머릿속을 흔들어 아예 아무 것도 생각하고 싶지 않을 때가 있다.

나는 그저 그냥 그녀를 생각한다. 나의 뇌에 닿아 맺어진 기억을 떠

올릴 때, 그 그리움이 나를 탐하게 될 때를 그저 속삭이곤 한다.

남킹 컬렉션 #012

남킹의 문장 1

언어의 마법사 남킹의 문장들

남킹 판타지 소설집

하니은 매화

남킹 컬렉션 #015

Kwoon - Blackstar

남자가 거울을 보기 시작했다면, 마음에 둔 여자가 가까이에 있다는 신호다. 그녀는, 대로변 사거리 한 면을 온통 차지하고 있는, 대형 할인점에서 일한다. 그녀는 작지만 풍만했으며, 못생겼지만 친절했다. 항상 미소를 띠며, 오고 가는 고객과 눈이 마주치기를 바랐다.

그는 마트에서 한 블록 떨어진, 낡은 오피스텔 원룸에 기거했다. 일주일에 한두 번, 물과 냉동 볶음밥, 김치를 사러 그녀가 서 있는 곳을 들르곤 하였다. 하지만 처음부터 그녀에게 빠진 건 아니었다. 반년이 넘도록 그녀의 존재조차 몰랐다.

어느 날 갑자기 그녀가 보이기 시작했다.

그녀는 갓 튀긴 냉동 만두를 절반으로 잘라, 손바닥만 한 접시에 올려두고, 마침 지나가는 그를 미소 띤 얼굴로 쳐다봤다. 그와 눈이 마주쳤다. 그 순간 그는, 그녀의 짙은 마스카라 속에 숨은 연민을 보았다. 게다가 두꺼운 화장 속에 감춰진 작은 얼굴에서 풍요로움을, 초승달처럼 휘어진 입꼬리를 머금은 미소에서 편안함을 느꼈다. 한여름 대청마루에 지긋이 누워 바라보는 장대비 같았다.

그는 무엇에라도 끌린 듯 그녀 앞에 섰다. 그녀가 만두 반 조각을 내밀었다. 그는 탐스러운 녹색 이쑤시개에 꽂힌 노릇하게 익은 갈색 만두를 받아 들었다.

"고객님, 뜨거우니 호호 불어서 천천히 드세요."

발걸음이 무거워지기 시작했다. 돌아서기가 싫었다. 그녀는 다음 고객에게 나머지 만두 조각을 건넸다. 마트에는 항상 다양한 목소리가 들렸다.

"오늘만 특별 할인…. 폭탄 세일 중…. 대박 할인 중…. 고객님 이 기회를 놓치지 마세요…. 고객님, 일 플러스 일 행사입니다…."

그는 외로웠다. 외로움은 아픔이었다. 그는 이른 나이에 결혼했으나 곧 헤어졌다. 자식은 없으며, 부모와는 아주 가끔 소식을 주고받았다. 뭘 예를 들자면, 작은아버지가 돌아가셨다거나 조카 녀석이 미국 명문대학에 입학하였다는 등등 말이다. 하지만 이건 순전히 그의 성격적 결함에 기인한 면이 적지 않다.

사실, 수년 전, 그는 홀연히 외딴 섬에 들어왔으며, 그 이유의 무게중심은 다분히, 삶의 대부분에 관계되었던 인연을 자르거나 적어도 무시하기 위함임을 인정하지 않을 수 없었다. 그는 세월이 갈수록 극단적인 에고이즘 성격으로 바뀌는 자신을 당혹스럽게 바라다보곤 하였다. 분명 이건 슬픔이고, 어떤 면에서는 삶을 지배했던, 고통스럽기 짝이 없는 외로움의 본질임에도 불구하고, 그는 헤어나지 못하였다.

그는 마트를 어떻게 나갔는지 기억조차 할 수 없었다. 좁은 원룸에 들어서자마자 쇼핑백을 아무렇게나 던져두고 서둘러 거울을 집어 든다. 온전했던 젊음은 가뭇없이 사라지고, 고통의 조각들은 실타래처럼 엮인다. 거울에 새겨 든 무표정한 남자. 얼이 빠진 듯한 표정. 흐릿한 눈동자. 산 날은 아프고 살아야 할 날은 무겁다. 눈을 홉뜨며 길게 한숨을 낸다. 짙은 호흡 속에 퍼덕이는 연민. 그는 의자 등받이에 자신을 걸친다.

그녀를 기억한다. 생경하고 낯선 자신에 깃든 설렘. 하지만 무엇인가 난처한 것에 맞닥뜨린 것처럼 곤혹스러움이 앞선다. 왜냐하면, 그의 가슴에는 한목소리만 들려왔기 때문이다.

"고객님, 뜨거우니 호호 불어서 천천히 드세요 "

남킹의 문장 1
브런치 스토리

남 킹

남킹 컬렉션 #022

Bach Cello Suite Nr. 6

Johann Sebastian Bach Cello Suite Nr. 6 in D-Dur BWV 1012

Mar and I, two hearts entwined,
Together we walk hand in hand.
With love that grows stronger each day,
And a bond that will never disband.

In each other's arms we find peace,
And comfort in times of strife.
With Mar by my side, I am whole,
And my soul is filled with life.

We laugh and we dance in the sun,
And whisper sweet nothings at night.
With Mar as my partner, I know,
That everything's gonna be alright.

Mar and I, we're meant to be,
Together until the end of time.
With love in our hearts, we'll face life,
And conquer every climb.

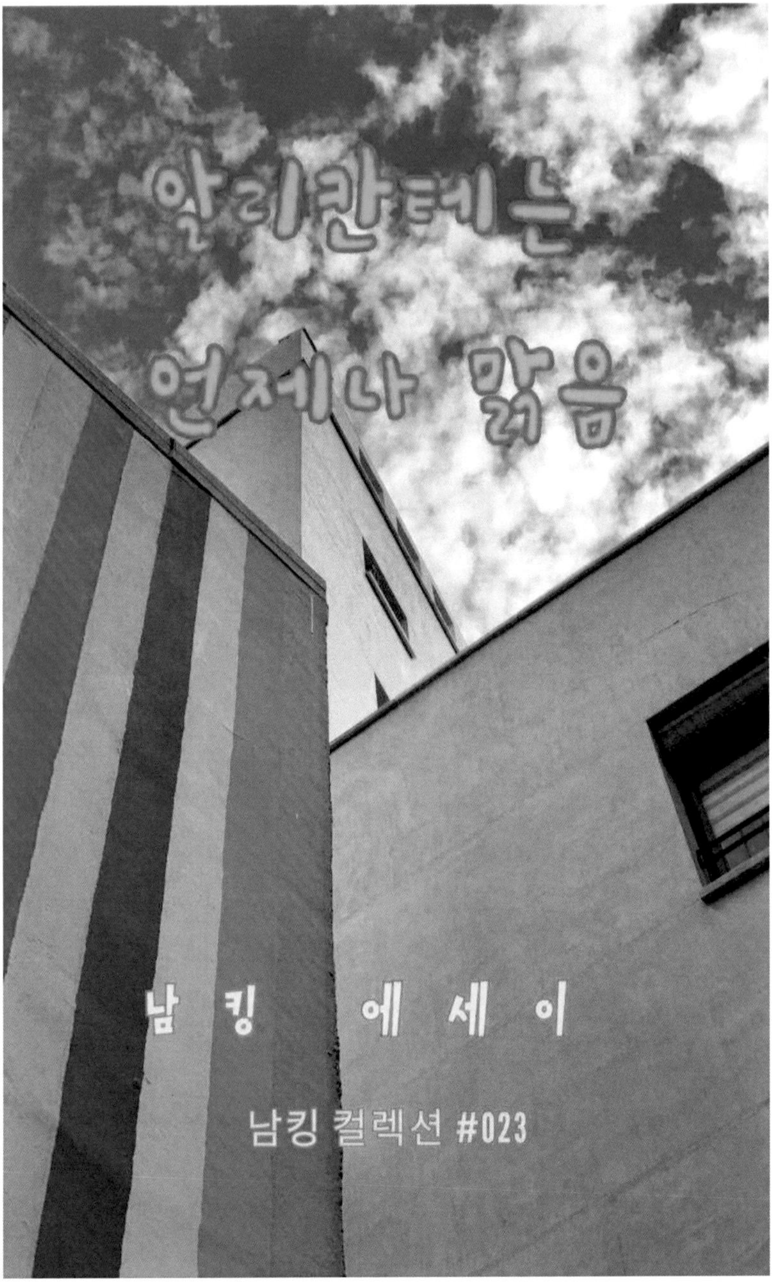
알리칸테는
언제나 맑음
남킹 에세이
남킹 컬렉션 #023

길에 내리는 빗물

남 킹 소 설 집

남킹 컬렉션 #024

This Place is a Shelter

Ólafur Arnalds - This Place is a Shelter

하고보스의 대로변 사이에 난, 골목에 위치한 자그마한 이탈리안식 퓨전 레스토랑의 주인이었던 그녀는 음식을 판다는 고유의 목적에는 어긋날정도로 단촐한 테이블에, 훤히 다 보이는 투명 유리 넘어 행인을 바라보는 일에만 몰두하곤 하였다.
라후라가 제냐를 만난것은 우연이었다.
스위스의 유럽 입자 물리 연구소 (CERE)에 근무하던 시절이었다.

그는 30일의 휴가를 받아, 특별한 줄거리도 없이, 유럽 전역을 무작정 헤매고 다녔는데, 글자그대로 헤맸다는게 정확한 표현일게다.

왜냐면 어떤 숙소나 정보도 공부하지 않은 채, 그냥 즉흥적으로 관심이 가는 곳으로 가곤 하였으니까.
예를들면 이런거다.
사람이 붐비는 곳으로 가니 역이 나왔다.
라후라는 그곳에서 마음에 드는 글자를 골랐다.
안도메란.
매표소에서 안도메란 편도를 끊었다.
친절한 매표소 직원은 좀 더 할인 받을 수 있는 여러가지 방법을 제시한다.
고맙지만 그냥 비싼 티켓을 산다.
그리고 기차를 타고 목적지에 도착해서 돌아다닌다.

배 고프면 식당에 들러 메뉴에서 가장 마음에 드는 글자를 고른다.
혹은 그림을.
그리고 또 돌아다닌다.
그야말로 발길 닿는대로.
그러다 날이 저물고 피곤이 몰려오면 숙소를 찾기 시작한다.
잘 보이지 않으면 아무나 붙잡고 물어본다.
주로 배낭을 맨 젊은이면 더욱 좋다.
그들은 고맙게도 매우 많은 정보를 지니고 다닌다.
값싼 유스텔 정보는 꿰고 다닌다.
어쩌면 동행이 되어 하룻밤 인연이 되기도 한다.
얼마나 많은 마을과 광장, 묘지, 다리 그리고 길을 돌아다녔는지, 아는 것은 그의 스마트 기기 내비게이션에 저장된 히스토리 뿐이었다.

 목적을 두지 않은 여행은, 우연이 뱉어낸 즉흥적인 감정의 쏠림에 따라, 햇살이 기울어지거나 문득 어디서 본 듯한 친숙함이 들거나 혹은 판단이 작용하지 않는 멍한 상태에서도 주저 없이 머물곤 하였다.
하지만 어찌 보면 이런 사치도 이제 끝을 내딛고 있었다.
시간이 얼마 남지 않았다.
앞으로 일주일이었다.
그러면 다시 살던 곳으로 돌아가야 하였다.
수많은 벽과 가로등, 광고판과 자동차, 사람 그리고 짙은 색으로 천천히 흘러가는 강을 품은 도시로 말이다.
톱니바퀴 속으로 그를 맞추어야 한다.
알람 소리에 깨고 지집거리는 눈으로 전동차에 탄 사람들 속으로 들어가야 만 할 것이다.
다시 결승선이 얼마 남았는지를 헤아리며 달려야 할지도 모르겠다.

그러한 의욕이 부침하는 과정에서 손쉽게 늙어 갈 것이다.
결코, 발버둥 쳐도 헐어버릴 수는 없을 거다.
그런 생각을 하며, 그는 마지막 여행지 구석구석을 돌아 다녔다.

애초의 출발지에서 그가 얼마나 떨어져있는지 어느 방향에 위치한지
혹은 이곳이 어느나라 소속인지는 그다지 관심을 두지 않았다.
적어도 그녀를 만나기까지는 말이다.

버스 민폐녀

남킹 슬픈 이야기

남킹 컬렉션 #027

브런치 스토리

남킹 사랑 소설집

남킹 컬렉션 #028

Erik Satie - Gnossienne No.1

Mar and I, hand in hand,
Walking down the path of life,
Together we will always stand,
Endless happiness, no strife.

Forever we will be,
In love and harmony,
With each other, our hearts will sing,
Together, our love will always bring.

The sun and moon may rise and set,
But our love will never forget,
The memories we make each day,
Will always light our way.

Mar and I, endless happy,
Forever and always be,
Together in love, that's how it'll be,
Forever and always, just you and me.

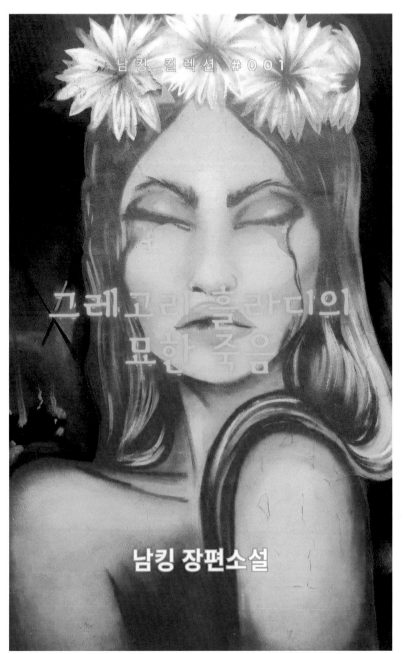

남킹 컬렉션 #001

그레고리 홀라디의
묘한 죽음

남킹 장편소설

거짓과 상상
혹은
좌와 별

남킹 장편소설

남킹 컬렉션 #002

Melanie Safka - Ruby Tuesday

라후라가 그날 역에 내렸을 때는 한낮의 따가운 햇살이 지독하게 내리쬐는 그야말로 구름 한점 없는 날이었다.

그는 꽤 오랫동안 기차를 탔고 무척 피곤하였고 아무것도 먹지 않은 상태였으므로 우선 숙소를 먼저 잡아서 그날은 그냥 잠으로 떼워야겠다고 생각을 했다.

그래서 아담한 광장으로 나오자마자 그는 여행객처럼 보이는 젊은이를 찾기 시작했다.

다행히 유쾌한 대화를 나누며 가는 젊은 연인을 금방 발견했다.

그들의 안내대로 그는 유스텔을 찾아 걷기 시작했다.
비교적 가까운 거리에 비교적 쉬운 방향이었다.
하지만 기대했던 곳이 쉽사리 보이지 않았다.
같은 길을 여러번 돌았다.
점점 부아가 나기 시작했다.
분명 경험한 이에게는 쉬운 길이었을 것 같았지만 아무래도 뭔가를 놓친 것 같았다.
그렇게 화가 난 채, 30분쯤, 이제는 제법 익숙하게된 역전 뒷골목을 헤매고 다녔다.

그러다 그녀를 봤다.
아니 그녀가 그에게 왔다.

투명한 유리 너머로 호기심 어린 눈으로 지켜보던 그녀는 식당 문을
반쯤 열고는 라후라에게 말을 걸었다.

"May I help you?" 그는 그 순간 그녀가 인도인인 것을 직감했다.

"혹시 인도인이세요?"
"아, 네. 혈통은 그렇습니다.
혹시 어디 찾고 계시는가요?
여러번 이곳을 돌아다니시던데…"
"네, 유스호스텔 찾습니다."
"아, 한국인이 운영하는 고향집 말씀하시는군요.
잠시만요. 제가 안내해 드릴께요."
그녀는 망설임없이 가게 문을 닫고는 앞장선다.
그는 뜻하지 않은 친절에 방금전까지 그를 괴롭혔던 화를 황급히 내
려놓는다.
"바쁘실텐데...이렇게 손수…"
"아니에요. 엄청 한가해요." 그녀는 쾌활하게 뒤돌아보며 미소를 보
낸다.
그리고 그 순간 라후라는 사랑이라는 열병에 그만 빠지고말았다.

리셋

Reset

남킹 SF 소설집

남킹 컬렉션 #010

남킹 컬렉션 #011

1월의 비

남킹 감성 소설집

Iyeoka - Simply Falling

Mar and I, a tale of love so true,
With emotions strong, and bond so new.
With eyes that shine and hearts aglow,
Our love for each other continues to grow.

Lust and passion, a fire within,
A flame that burns with each touch of skin.
Eros and desire, a never-ending dance,
With each beat, our love takes its chance.

We are lovers, in every sense,
With hearts full of love, and no fence.
Our love story, a fairytale come true,
With a bond so strong, it shines like dew.

But more than that, we are friends,
With memories made, love that never bends.
With laughter and joy, we face each day,
Our love and friendship, in every way.

Mar, my dear, you mean the world,
With your smile, my heart is unfurled.
With each passing moment, our love will grow,
Together, forever, in love, we'll always glow.

남킹 컬렉션 #013

남킹의 문장 2

언어의 마법사 남킹의 문장들

남킹 판타지 소설집

하니은 매화

남킹 컬렉션 #015

Eric Carmen – All By Myself

남킹의 음악과 글

지독하게 맑은 하늘이었다.

그는 남은 휴가를 그곳에서 보냈다.
태양속에 느긋한 일상을 보냈다.
긴 휴식을 취했고, 도시의 구석구석을 그녀와 돌아 다녔다.
제냐는 느긋하고 푸근하였으며 삶의 기쁨을 품고있었다.
"저는 비교적 단순한 편이에요. 아직까지의 제 인생은요.
철학을 전공했고 불가리아에 유학을 왔으며, 졸업 후 그냥 여기에
머물기로 하고 식당을 개업했죠"
"요리를 좋아하는군요?"
"먹는 것은 좋아하죠. 요리는 그저그래요.
그래서 메뉴도 딱 다섯가지 밖에 없어요.
그냥 지나가는 사람 구경하는 것을 좋아하죠"
"그러다 망하면 어떡합니까?"
"단골 손님이 몇분 계세요. 대부분 은퇴하신분이세요.
오시면 늘 재밌는 이야기를 들려주시죠"
휴가의 마지막 날, 그들은 같이 밤을 보냈다.
그녀의 방에는 작은 액자가 벽에 붙어 있었다.
이곳에 온 첫날의 모습이라고 하였다.
화려하고 복잡한 로코코 양식 위에 걸터앉아 무진장하게 넓고 잘 정
돈된 정원을 배경으로 그녀는 무척 밝게 웃고 있었다.
"가장 행복한 날이었죠. 비로소 내가 원하는 게 무엇인지를 찾은 날
이었죠" 그녀는 눈썹을 치켜세우며 자신 있게 그날을 설명해주었다.

그녀는 자기 생각을 항상 조곤조곤 들려주었다.
마치 말을 하기 위해 태어난 사람 같았다.
그리고 주제는 다양하기 그지없었다.

그녀는 직관적이고 결론적이며 관대하며 대범하였다.

그리고 늘 사랑과 용서를 갈구하였다.

그들은 나란히 천장을 바라보며, 이별의 고통을 감지한 듯, 마지막 밤이 새도록 소곤거렸다.

"저는 꿈을 사랑해요. 그래서 잠을 많이 자는 편이고요.

아니 자려고 노력하는 편이죠." 제냐는 졸음이 한웅큼 달린 푸석한 얼굴에 눈을 반쯤 뜬 채, 배시시 웃으며, 라후라의 이마를 쓰다듬었다.

그녀의 날숨은 달짝지근했다.

그는 쏜살같이 흘러가는 그들만의 시간이 괴로운 듯, 불퉁한 표정으로 그녀를 바라봤다.

디지털 시계가 이미 새벽 5시를 알렸다.

"왜인지 아세요? 꿈속에서는 해방이 되거든요. 완전한 주체가 되는 거죠.

내가 현실에서 받았던 다양한 강요에서 풀려나는 거거든요."

"그래서? 우리가 함께 하자고 한 약속이 일종의 강요라는 건가요?" 그의 마음에 없는 볼멘소리가 툭 튀어나왔다.

나타난 게 고마울 정도로 그는 그녀에게 푹 빠져있었다.

"뭐, 사랑도 일종의 강요의 한 형태니까.

결혼 서약은 그 결정체죠.

죽을 때까지 당신만을 사랑하라고! 알았지! 재론 오방카스!" 그녀는 픽 웃으며 두 팔을 뻗어 그의 귀를 쭉 잡아당겼다.

"그래서? 제냐 아프로디칸스키씨! 나와 결혼하려고?" 그가 온종일 마음에 가득 담아둔 말이었다.

누가 톡 튕기면 퐉하고 터질 듯이 부풀어있었다.

"어휴! 말을 말아야지." 그녀는 재미난 듯 그를 쳐다본다.

"내가 어제 그랬잖아요.

나는 어쩌면 시작도 끝도 없고 입구도 출구도 불분명하며 안이 밖이고 위가 아래인 클라인 병 같다고."

"그래서? 그게 우리의 결혼과 뭔 상관이에요?" 라후라는 뾰로통한 표정으로 그녀를 쳐다봤다.

"바보같이. 거꾸로 가는 인간과 함께하려고?" 제냐는 이제 장난끼 섞인 표정으로 라후라의 볼을 살짝 잡아 당겼다.

"그건 또 무슨 말이에요?"

"배우자에게 충실하겠다는 결혼 서약은 결국 세상을 위한 것일 뿐, 저와는 무관하다는 뜻이죠..

인간이 구축한 세상의 시스템에 부정적인 사람과 산다는 것은, 어쩌면 이 세상에 불행한 인간이 되겠다는 것일수도 있으니까요…" 그는 그 순간, 행복을 느꼈다.

남킹 컬렉션 #019

이방인

남킹 장편소설

거리를
비워두세요

남 킹 음 악 에 세 이

남킹 컬렉션 #020

I Want You to Want Me

Cheap Trick - I Want You to Want Me

Mar and I, a passionate pair,
Affection flows, like a gentle air.
Sexual desire burns like a fire,
Our love, an infatuation that won't expire.

With every touch, our hearts do soar,
A love like this, forever more.
Together we'll conquer life's challenges,
With Mar by my side, I know I'll have success.

My dearest Mar, you hold the key,
To my heart, my soul, and my destiny.
With each day, our love grows stronger,
And in your arms, I feel like I belong here.

Our passion is a flame that never dies,
A love so pure, it touches the skies.
Forever and always, my heart is yours,
Mar, you are my love, my soul, my all.

사랑 그 쓸쓸함
에 대하여

남 킹 음 악 산 문

남킹 컬렉션 #021

남킹의 문장 1
브런치 스토리

남 킹

남 킹 컬 렉 션 #022

Haley Reinhart - Creep

남겨야 음악과 글 .

"결혼이라는 제도는, 다른 제도처럼, 하나의 상태 속에 갇히는 거라고 봐요.
그리고 특히, 당신은 곧 깨닫게 될 거에요. 그게 얼마나 답답한지를."
"특히 왜 나지?" 라후라는 피곤한 눈을 크게 뜨고 제냐를 쳐다 봤다.
"왜냐면, 심하게 자유로움을 갈구하잖아요."
"내가?"
"네, 재론님, 한 달동안 휴가를 어떻게 보냈나요?"
"그야, 자유롭게 발길 닿는데로…" 그의 말에 제냐는 측은한 미소로 그를 바라봤다.
"난 뭔가 되고자 하는 욕구를 내려놓았지.
그냥 내 시선이 가는 데만 보고 싶었던 거고..." 라후라는 자신이 내뱉는 말이 그다지 도움이 되지 않는다는 사실을 잘 알고 있었다.

어쩌면 사르트르 말대로, 자유롭도록 저주받은 것인지도 모르겠다고 생각했다.
"그러한 상태를 우리는 자유롭다라고 표현한답니다." 제냐는 라후라의 볼에 가볍게 키스를 하였다.
"전 아담파 신자처럼 살고 싶었던적이 있었어요.
블타바강의 나체주의자 들어보셨나요? 권력도 계급도 노동도 화폐도 정부도 군대도 없는 그야말로 모든 사회 제도가 사라진 세상 말이에요."
"언제부터?" 라후라는 흥미로운 표정으로 그녀를 쳐다봤다.
방 한쪽을 무질서하게 채우고 있는 수많은 책이 달려들 듯 위태롭게 쌓여있었다.
"오래전."
"오래전? 모호한데." 라후라가 제냐의 입술을 손가락으로 만지며 물었다.

"어릴 때는 지독한 개인주의자였거든요.

내 물건에 절대로 남들이 손대는 것을 허락하지 않았죠.

특히, 내 동생에게는.

그런데 어느 날 깨우친 거에요.

내 모습이 남우세스러운 짓이라는 것을.

나는 아무것도 소유하지 않고, 아무것에 대해서도 개인의 권리를 주장하지 않는 세상에 묘한 매력을 느낀 거죠."

"마치, 공산주의자 같은 느낌이 드는데?" 라후라는 제냐의 가슴에 얼굴을 묻으며 말했다.

"그렇지만은 않아요. 모든 것을 내려놓음으로써 시작된 이상한 집착이 생겼으니까요."

"이상한 집착?" 라후라는 눈을 부릅뜨며 그녀를 내려다 보았다.

"이야기에 대한 끝없는 끌림에 빠지기 시작했어요.

그리고 책으로 옮겨가기 시작했어요. 어찌 보면 당연하겠죠.

책에는 숱한 이야기가 기록되어 있으니까.

그러다 사람을 관찰하기 시작했고 그들의 인생을 늘 궁금해 하죠.

바라봄의 즐거움과 몽환적인 생각이 삶의 기반이 되어 버린 셈이죠.

눈에 보이지 않는 피안의 세계를 나와 아우르는 행위 말이죠." 밝은 색의 헐렁한 옷 속으로 제냐의 부드럽고 앙상한 갈비뼈가 삐져나왔다.

"당신은 어떤가요?" 그녀는 사랑이 가득한 미소를 띠우며 그에게 물었다.

"저는 아주 오래된 노래를 좋아했어요. 헤비메탈과 하드락...고막이 찢어지게 크게 틀곤 했죠.

덕분에 지금도 가는 소리는 잘 안들려요.···그리고..." 그녀는 무척 호기심어린 눈빛으로 그를 쳐다보기 시작했다.

"낭만적인 연애를 하고 싶었고 가출도 해보고 싶었어요.

실제로 거리를 떠돌던 애들과 며칠 동안 잔 적은 있어요.

그리고 형식과 예의에 무관심한 편이죠.···그리고...

인공지능에 무척 관심이 많고요...그리고...그리고..." 라후라는 잠시 뜸을 들인뒤 마침내 고백을 하였다.

"저는 해킹을합니다. 사피엔티아라는 조직에 몸담고 있어요."

"해킹? 마치 범죄 조직처럼 들리네요." 제냐는 가벼운 미소를 띄며 고개를 갸웃거렸다.

그 순간 흔들리는 망막 속에 품은 갈등을 그는 느꼈다.

"그 반대라고 생각하시면 될거에요.

무척이나 은밀하면서도 사악한 집단에 대한 정보를···" 이 순간 그는 말을 끊었다.

그녀를 위험에 빠뜨릴 수 있다는 생각이 든 것이다.

"아무튼 저는 당신을 지킬거에요. 죽을때까지···" 라후라는 제냐를 꼭 끌어안았다.

그는 어느새 그가 사는 곳에서 1600km 나 동쪽으로 와 있었다.

다음날, 작별은 짧았지만 발길은 무겁기 짝이 없었다.

그는 그녀가 서 있는 플랫폼 기둥이 사라질 때 까지 끝없이 쳐다봤다.

서글픈
나의 사랑

남 킹 장 편 소 설

남킹 컬렉션 #025

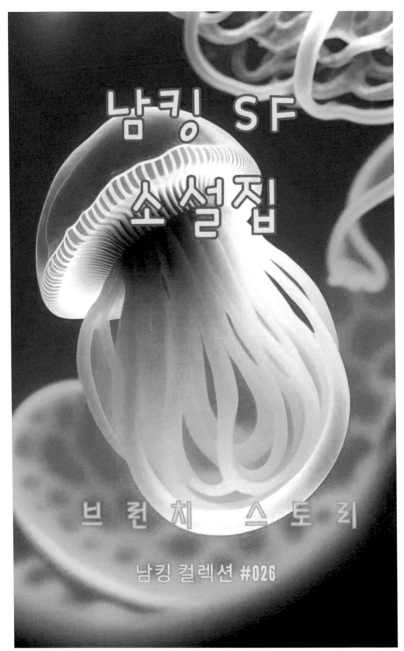

남킹 SF
소설집

브런치 스토리

남킹 컬렉션 #026

Anne of the Thousand Days

Mar and I, bound by biology,
Together we face hunger and thirst,
With love and trust, we quell the strife,
And conquer life with all its worth.

Our bond, strengthened by neuroscience,
Shows us how love and brain entwine,
And through each moment, our love just grows,
Our connection never fades with time.

Marriage, a bond built on psychology,
Our love so deep, it flows like a river,
A journey that we embark, hand in hand,
With each other, we'll conquer and deliver.

And like honey, our love is sweet,
A precious nectar, so rare and divine,
With you, Mar, my love, I am complete,
Together, forever, we'll always shine.

리셋
Reset

남킹 SF 소설집

남킹 컬렉션 #010

남킹 컬렉션 #011

1월의 비

남킹 감성 소설집

Today is the New Tomorrow

Zia Ghiasi ~ Today is the New Tomorrow

Mar and I, our hearts beat as one,
In puppy love, our journey begun.
Couple so sweet, a match made in heaven,
Benevolence our guiding light, forever given.

We enjoy each moment, cherish every hour,
Laughing, smiling, with endless power.
Lovemaking, our bodies entwine,
In each other's arms, our love does shine.

Mar and I, our hearts beat as one,
In this beautiful love, we have just begun.
Our love will grow, with each passing day,
Forever bound, in every way.

So here's to us, Mar and I,
Our heartsstrings forever tied.
In love, in life, forever we'll be,
Together, always, eternally.

남킹 컬렉션 #012

남킹의 문장 1

언어의 마법사 남킹의 문장들

남킹 판타지 소설집

하늬은 매화

남킹 컬렉션 #015

Carpenters - Only Yesterday

내 앞에는 그림자 하나 없이, 물체 하나하나, 모서리 하나하나, 모든 곡선이 눈이 아플 정도로 뚜렷이 두드러져 보인다. 그들은 광채 없는 빛을 발하고, 그녀는 잿빛으로 변했다.

햇빛이 내 발을 뜨겁게 비춘다. 모처럼 더운 날씨다. 바람은 진작 멈추었다. 나의, 헬리오 트롬 같은 연한 보랏빛 비로드 양복 윗도리에서 쉰내가 올라온다.

운구하는 인부들이, 장지까지 따라온 사람들을 헤집고 그늘을 찾아 흩어진다. 관이 내 발아래 놓였다. 거울이 누렇게 변색한 옷장으로 만든 관. 번쩍거리는 품이 필통을 연상케 한다.

알리나(Alina)는 눈 위로 머리카락이 흘러내린 채 누워 있다. 관자놀이에 멍 자국이 선명하다. 입가에는 거품 자국도 보인다. 그녀는, 기름을 반지르르하게 바른, 에나멜 구두를 신었고 야들한 블라우스를 입었다. 밀짚모자로 검게 변색한 가슴 핏자국을 가렸다. 잘린 허리는 장의사가 몹시 거칠게 이어 붙였다. 그리고 너덜너덜한 다리는 낡은 숄로 가렸다.

어린 소녀가 작고 동그란 화관을 그녀의 머리에 씌우려다가 황급히 뒤로 물러나 울음을 터트렸다. 썩은 냄새가 진동한다.

'하지만 그녀는 여전히 아름답다.' 그런 말을 해본댔자 무의미하지만….

깊은 곳에서 전율처럼 그리움이 감싼다.

삶은 고통이다. 죽으면 고통도 사라진다. 그나마 그게 위안이다. 나는 애써 감정을 숨긴 채, 무심한 듯, 관을 빙 둘러싼 사람들을 훑어본다. 아무도 나를 모른다는 사실에 편안함을 느낀다.

장례식은 무척 짧게 끝났다. 연도 없이 각자 가져온 야생화를 관에 던지는 것으로 마무리되었다. 거동이 어색해 보이는 노인들이 하나둘 먼저 자리를 뜬다. 구름처럼 드리운 무더운 대기 속으로, 무심한 젊은이들이 그 뒤를 따른다.

죽음이 이제 늘 가까이에 머문다. 이제 일상이 되었다. 이러한 사실은 미래에 대한 우리의 기대를 지극히 가벼운 삶으로 바꾸어 버린다.

살고자 하는 욕망. 그것뿐이다.

남킹 컬렉션 #019

이방인

남킹 장편소설

거리를
비워두세요

남킹 음악에세이

남킹 컬렉션 #020

AaRON - Le Tunnel d'or

Mar and I, an ardor so bright,
A flame that burns with all its might,
With hearts entwined, a perfect fit,
Together we'll never call it quits.

A care for one another that knows no bounds,
A kindness and compassion that knows no grounds,
A love that banishes all hate,
A bond that seals our fate.

We're mates, made for each other, we're sure,
Making love, a passion that will endure,
A sexual attraction that can't be tamed,
Together we'll always remain.

Our devotion and adoration never fades,
A love that always positively ablazes,
Mar and I, a bond that's true,
Our love, a feeling that's pure and true.

With "luv" we sign our names,
Together we'll weather life's games,
For Mar and I, our love will never tire,
Our passion, a beautiful, eternal fire.

사랑 그 쓸쓸함 에 대하여

남 킹 음 악 산 문

남킹 컬렉션 #021

남킹의 문장1 브런치 스토리

남 킹

남킹 컬렉션 #022

Archive - Bullets

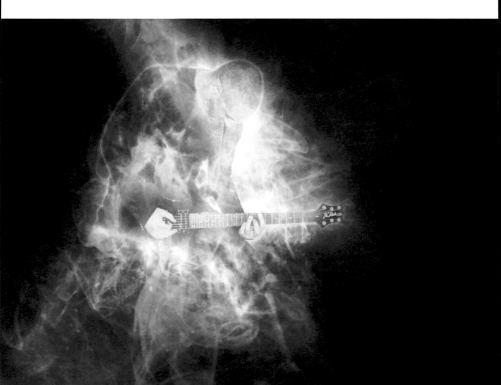

그녀의 방은, 폐허의 도시에서 제법 떨어진, 변두리 주요 도로에 닿아있다. 혼탁하고 헛된 소음이 늘 떠다녔다. 대형 전투용 드론과 장갑차들의 진동이 그녀의 거친 심장 소리만큼 몸 전신에 파고들었다.

대문과 벽에는 다양한 색상의 래커칠이 어지럽게 널려있다. 작은 뜰에는, 뱃머리의 조각처럼, 비바람에 젖은 낡은 옷가지들이 쌓여있었다. 마치 그녀를 둘러싼 이 모든 사건이 일어나고 가라앉고 변색하는 것처럼.

나는, 칸살이 붉은, 그녀의 작은 침대 벽에 몸을 기대어, 햇볕에 그은 색상이 그려낸 창을 바라보곤 하였다. 나의 눈은 일련의 순간을 포착하는 방법으로 채워졌다.

비둘기색 커튼은 늘 축 처져있었다. 금작화 나무가 앙상하게 죽었다. 마른 가지에는 찢어진 깃발이 펄럭였다. 그리고 멍한 눈동자는 아무것도 없음이 된다.

그럴 때면, 나는, 언제나 그렇듯, 과거, 현재, 미래가 혼재하는 고질적인 환상에 사로잡히곤 하였다. 특히, 그녀에 대하여.

그녀는 모든 것을 씹듯이 저미며 진솔함으로 다가서지만 늘 일정한 거리에서 머물렀다. 나는 흐릿하게 절단되어 그녀의 주변에서 서성거렸다. 이런 느낌은, 드러나지 않고 내밀하게 색조들이 결탁한 끌림을 주어, 시선을 고정하였다.

늘 그녀를 향했다.

* * * * * * * * * *

그녀를 만나기 직전, 나는 우크라이나의 수도에 도착했다. 겨울의 끝자락이었다. 나는 여러 가지 직업을 전전했지만, 조리사는 처음이었다.

그래서 활기도 없고 확신도 없었다. 나는 그저 이방인의 도시에 살기를 원했다. 잘게 썬 고독이 박힌 거리를 걷고 싶었다. 사교나 형식, 관습과 규율의 번거로움에서 벗어나고 싶었다. 그냥 자유로운 번뇌 속에서 허우적거렸다.

우리는 지나치게 많은 섹스를 하였다.

한없이 맴돌아 나가는 사소한 갈등과 절대로 떨쳐버리지 못하는 간결한 끌림과 반항을 애써 무시해버리는 현대인이면 의당 겪는 부조리는, 내가 그녀의 몸을 핥는 순간 말끔히 사라졌다. 신기하였다.

나는 이것을 사랑이라고 정의했다.

그리고 2022년 5월 4일. 그녀는 날아든 포탄을 맞고 그 자리에서 사망했다.

우리가 사랑한 지 꼭 10일 만이다.

남킹 컬렉션 #001

그레고리 흘란디의
묘한 죽음

남킹 장편소설

거짓과 상상 혹은 죄와 벌

남킹 장편소설

남킹 컬렉션 #002

신승훈 - 보이지 않는 사랑

Mar and I, a duo so bright,
With ardor and love, shining so light.
A heart that beats as one, we share,
With care for each other, always there.

Kindness and compassion, we impart,
Hate and negativity, we depart.
Mate for life, we have become,
Making love, a bond so strong.

Sexual love, a flame that burns,
Sexual attraction, a spark that yearns.
Devotion and adoration, we feel,
Luv and fondness, a love that's real.

Lovingkindness, a soft gentle breeze,
Dreams and hopes, our love won't cease.
Aristotle said, the soul is made,
Of virtues, love and all the good trade.

Mar and I, a love so true,
Together, forever, me and you.

남킹 컬렉션 #003

신의 땅
물의 꽃

남킹 판타지 SF

남킹 장편소설

남킹 컬렉션 #004

심해
deep ocean

남킹 SF 장편소설

NU - Man O To

금권(화폐)권력은 평화시에 국가를 잡아먹으려 하고 역경의 시기에는 반역을 꾀한다. 그것은 군주제보다 더 포학하고, 독재보다 더 거만하며, 관료제보다 더 이기적이다.

나는 가까운 미래에 나를 무력하게 하고 내 조국의 위험 앞에 떨게 하는 위기가 닥쳐올 것을 알고 있다.

기업이 왕좌를 차지했다.

타락의 시대가 뒤따를 것이고, 재부가 소수의 손에 집중되고, 공화국이 파괴될 때까지 금권(화폐)권력은 대중에게 손해를 끼치며 그 권세를 확장할 것이다. - 에이브러햄 링컨(미국 대통령, 1809.2.12~1865.4.15)

모든 것은 정지한 것처럼 보였다. 어둠 속에 여명이 있었다. 침울하게 뻗은 도로. 대지를 가득 메운 먼지.
그녀는 눈을 가늘게 뜨고 지평선을 바라본다. 그녀 앞에 무덤 같은 산등성이 끝도 없이 펼쳐졌다.
낡은 그림 같았다. 한동안 그렇게 있었다.

이윽고 따뜻한 무언가가 그녀를 감쌌다. 잠시 다른 세상의 느긋한 혼란 같은 느낌이었다.
그러다 불현듯 세찬 바람이 등 뒤에서 불었다. 그녀는 몸을 가눌 수가 없었다. 순간 정신이 아득해졌다.
그녀가 떨어진 곳은 연꽃이 무성하게 핀 연못이었다.
그녀는 그중에 가장 빛나는 연꽃 하나를 가슴에 품었다.
그녀는 행복함으로 눈물을 흘렸다.

암스의 아내는 영국을 여행 중이었다. 원인 모를 병으로 시름시름 앓던 그녀는, 자구책으로 친정집에 당분간 머물기로 하고 떠난 것이다. 원래 한 달을 예정하였으나 6개월째 계속 머물고 있었다.

하녀인 에스나가 들어왔다. 그녀는 전형적인 유럽인의 모습이었다.

얇은 입술, 창백한 피부, 갈색 머리, 푸른색이 도는 눈동자. 작은 키만 빼면 말이다.

그녀는 원래 아내의 몸종이었다. 하지만 그녀가 없는 사이, 암스의 시녀가 되어 궂은일을 도맡아 하고 있었다.

그녀를 특징짓는 한 가지는, 살포시 벌린 입술에 머문 상냥한 미소였다. 그리고 거기에 걸맞게 자주 웃었다.

그녀는 자신이 직접 만든 새 메이드복을 입고 주인의 서재를 청소하고 있었다.

암스는, 그녀 치마에 수 놓은 한 송이 꽃을 발견하고는 호기심이 들어 물었다.

"꿈에서 본 꽃이옵니다. 주인님. 감히 무슨 꽃이라고 알지 못할 뿐만 아니라 자라면서 본 기억도 없는 꽃입니다."

"네가 본 것을 한번 말해보거라."

"여러 번 꿈을 꾸었고 조금씩 다르기는 하지만, 늘 같은 한 가지는… 아주 검은 물에 별빛보다 더 밝은, 크고 아름다운 꽃을 안고 나면 깬다는 사실입니다."

"기묘하구나. 왜냐하면 나 또한…" 그 순간 암스는 말을 멈추었다. 그가 몇 달간 간직한 꿈의 비밀을 하찮은 하녀에게 처음으로 털어놓는다는 사실이 겸연쩍다고 느끼기 시작한 것이었다.

그는 잠시 생각에 잠기더니 이윽고 그녀에게 손짓했다.

"내게 가까이 다가오려무나."

"네?"

"내게 가까이 오너라."

그녀는 천천히 주인에게 다가갔다.

"너는 입이 무겁냐?"

"네, 그렇습니다. 주인님. 그것이 무엇이든 무덤까지 가져갈 것입니다." 그녀는 조숙하고 엄격한 말투로 말하였다.

"월경은 끝났느냐?"

"네, 그러하옵니다만…"

"얼마나 되었느냐?"

"2주 전쯤이옵니다."

"너의 질에서 맑고 미끈거리는 분비물이 나오느냐?"

"네, 그러하옵니다만…"

"그럼, 오늘 밤 잠자리에 들기 직전 내게로 몰래 오너라. 누구에게도 말하지 말고."

"그건?"

"그래, 나는 오늘 너를 품을 것이다. 하지만 누구에게도 발설하지 말거라. 나는 네가 거주할 집을 따로 마련할 것이다. 그리고 너를 죽을 때까지 돌볼 것이다."

"절대 평지풍파를 일으키지는 않을 것입니다. 주인님."

4개월 뒤, 암스는 약속대로 그녀를 내보냈다. 그의 집에서 마차로 한나절이나 가야 하는 곳에 거처를 마련해주었다. 그는 한 달 혹은 두 달에 한 번씩 그녀를 찾았다. 그리고 아들이 태어났다.

그의 일곱 번째 자식이었다.

그를 물의 꽃, 로터스라고 이름 지었다. 하지만 그의 성 파터스는 물려주지 않았다.

리셋
Reset

남 킹 SF 소설집

남 킹 컬렉션 #010

남킹 컬렉션 #004

심해
deep ocean

남킹 SF 장편소설

Blues

파더스 가문은 유럽을 떠돌던 집시였다.

그들의 조상이 어디서 기원하였는지는 거의 알려지지 않은 상태였다. 그저 수 세기 동안 유럽과 중앙아시아, 서아시아를 돌아다녔다.

그들이 유럽의 중앙, 프랑스와 독일의 국경 지역에 정착을 한 시기는 대략 신성 로마 제국 시절이었다. 그곳에서도 그들은 한동안 천민으로 살았다.

그들은 대륙의 지리에 밝은 점을 이용해 소규모의 무역을 하고 있었다.

암스의 조상, 숄레트 또한, 어릴 적부터 중국 혹은 인도까지 이어지는, 거칠고 위험한 육로 무역을 하고 있었다. 그는 다양한 나라의 여러 가지 언어를 구사할 수 있었으며, 영리하고 성실하여 인근 귀족들이 단골이 되었다.

그는 고객이 원하는 각종 차나 향신료뿐만 아니라 중국 도자기, 여러 가지 금속 공예품 등을 취급하였다.
그는 고객이 주문한 것은 어떤 일이 있어도 꼭 구해주었으므로 귀족이나 재력가들의 인심을 확고히 하고 있었다.

그러던 중, 1453년 오스만 제국의 메흐메트 2세가 콘스탄티노플을 점령하면서 비잔티움 제국이 멸망하였다. 즉, 천년 제국 동로마가 멸망한 것이다.

이것은 유럽의 무역상들에게는 적지 않은 타격을 안겨 주었다. 이슬람 제국을 거치지 않고서는 육로로 무역을 할 수 없는 지경이 된 것이다.

하지만 슐레트에게는 더할 나위 없는 좋은 기회였다. 그는 이슬람 친구가 많았을 뿐만 아니라 어릴 적부터 그들의 관습과 종교에 익숙하였다.

사실상 그에게는 무역 독점 상황이 발생한 것이다. 그리고 그는 이 기회를 충분히 발휘했다.

그는 천정부지로 치솟는 동방의 제품들을 안정적으로 그의 고객들에게 납품하였다. 그는 무역에서 가장 중요한 것을 알고 있었다.

그것은 신뢰였다.

그는 합당한 가격으로 계약을 하였으며, 판매 물건 가격이 아무리

높게 올라도 계약 가격으로만 받았다.

그의 명성은 삽시간에 퍼져나갔다. 그리고 그는 자기의 명성에 걸맞게 세습 남작이라는 직분을 돈을 주고 샀다.

주위의 유력 가문들이 그에게 투자하기 시작했다. 어떤 가문은 아예 장부 관리까지 맡겼다. 그렇게 그는 유럽의 성공한 가문으로 뿌리를 내리기 시작했다.

하지만 집시 가문이라는 꼬리표는 여전히 그들을 따라다녔다. 적어도 워털루 전투가 발생하기 전까지는 그러하였다.

남 킹 컬 렉 션 # 0 0 1

그레고리 홀라디의 묘한 죽음

남킹 장편소설

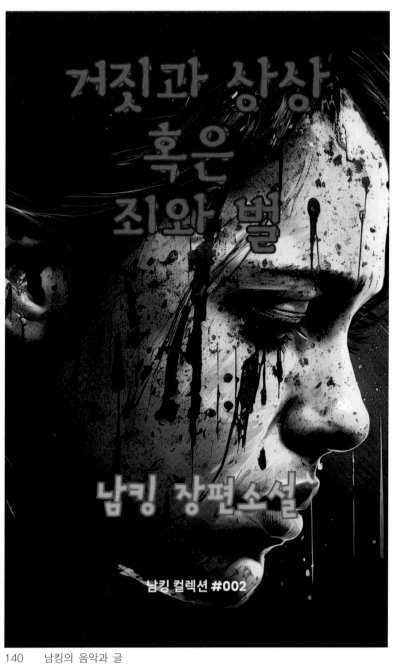

거짓과 상상
혹은
죄와 벌

남킹 장편소설

남킹 컬렉션 #002

Kwoon - Blue Melody

암스의 할아버지 다비드는, 그가 스물다섯 살이 되었을 때, 영국의 몰락한 귀족의 딸이지만, 미의 여신으로 유명한 마리안느를 아내로 맞이하였다.

그는 어릴 적부터 무척 많은 곳을 여행하였다. 영국과 스코틀랜드는 그가 스물두 살이 되었을 때 다녀온 곳이었다.

그가 맨체스터 지역을 여행하던 중 머문 호텔에서 마리안느의 미모에 대한 소문을 듣게 되었다. 그는 자기 눈으로 그녀를 직접 보고 싶었다. 그래서 그 길로 그녀가 살고 있다는 리버풀로 갔다. 하지만 그가 그녀를 본 것은 그로부터 한 달이나 지난 후였다.

그녀는 병든 어머니 간호로 인하여 거의 집 밖 출입을 하지 않는 상태였다. 그리고 마침내 한 달 뒤, 그녀의 어머니 장례식 때 그는 먼발치에서 그녀를 지켜보았다.

수수한 검은 장례복을 입은 그녀였지만 미모는 눈부셨다. 그는 그때 그 순간을 늘 입버릇처럼 말하곤 하였다.

"죽음의 행렬 가운데 황홀감을 느낀 사람은 아마 나 뿐일 거야."

그는 장례식이 끝나고 다시 한 달이 흐른 뒤, 그녀의 아버지를 찾아 갔다.

그는 두꺼운 분량의 혼인 계획서 같은 것을 작성해서 갔는데, 여기 에는 두 사람의 결합 이후의 구체적인 재정 계획이 담겨 있었다. 사 실 그 재정 계획이라는 게 일방적인 후원에 가까웠다.

그는 무척 영리한 사람이었다. 그는 누구보다도 정보에 관심이 많은 사람이었다. 그는 정보와 신뢰만이 유일하게 중요한 성공의 잣대라 는 것을 파악한 사람 중의 한 사람이었다.

그는 마리안느의 가문이 명맥만 유지하는 귀족으로 엄청난 부채에 시달리고 있다는 사실을 파악했다.

그래서 그는 아주 구체적이고 명확하게 앞으로 장인어른이 되면 누 리게 될 재정적 혜택과 아내로서 누리게 될 특장점을 명확하고 또렷 하게 제시하였다.

그러고도 그는 3년을 더 기다렸다. 그동안 그는 쟁쟁한 경쟁자들을 하나씩 물리쳤다.

그는 그녀와 멀리 떨어져 있었지만 바로 옆집에 사는 것처럼 그녀와 주변의 정보를 속속들이 파악하고 있었다. 그의 이러한 놀라운 정보력은 마침내 그가 서른이 되었을 때 빛을 발하게 되었다.

바로 워털루 전투였다.

전쟁은 언제나 그렇듯이 막대한 돈을 먹었다. 영국 또한 프랑스와의 전쟁을 위해 국채를 마구 발행하고 있었다. 그는 여러 경로를 통해 나폴레옹 시대가 저물고 있다는 것을 감지하고 있었다.

하지만 그때까지도 나폴레옹의 명성과 공포는 전 유럽을 공포로 넣고도 남았다. 워털루 전투가 벌어지기 전, 영국 국채의 가치는 바닥을 기고 있었다. 어느 누가 봐도 나폴레옹의 승리가 점쳐지고 있던 순간이었다.

그는 정보를 수집함과 동시에 정보의 활용에도 적극적이었다. 그는 전투가 벌어지는 곳곳에 정보원을 배치했다. 그리고 연락원을 통해 수시로 진행 상황을 보고 받았다. 그리고 어느 순간, 그는 영국 국채를 모두 다 매수하였다.

나폴레옹의 패전을 확신한 거였다. 그는 대번에 유럽에서 가장 부유한 귀족이 되었다.

훗날, 그는 자식들에게 한 장의 그림을 보여주었다. 바로 워털루 지역을 묘사한 지도였다.

그는 프랑스 진영 수백 미터 앞을 가로지르는 검은 선을 가리키며 자랑스럽게 말했다.

"이 검은 선이 무엇인지 아무도 몰랐지. 그곳 농부들만 알고 있더구먼. 깊은 웅덩이였지. 프랑스가 자랑하는 최강의 기마병이 간과한 부분이지. 그리고 나폴레옹의 오만함이 더해졌지. 그 순간 나는 신의 섭리라고 느꼈지. 나폴레옹의 종말을…"

남킹 SF 소설집

남킹 컬렉션 #010

남킹 컬렉션 #011

1월의 비

남킹 감성 소설집

Cigarettes After Sex, Live

뱀킹의 음악과 굴

파더스 가문의 최대 수혜자는 암스였다.

그는 할아버지의 막대한 재산과 지혜, 할머니의 수려한 외모를 그대로 물려받았다.

그는 당시 재정적 위기에 봉착한 왕족들과 거래하며 권력까지 손에 쥐게 되었다. 그는 이제 하늘 아래 누구 하나 부러울 필요가 없는 완벽한 삶을 살게 되었다.

그리고 그 정점에서 그는 자신의 가문을 이후, 천 년 이상 빛낼 계획을 실천하기로 결심하였다.

땅거미가 내릴 때쯤 여섯 아들과 그들의 식솔들이 모두 모였다.

밤이 유리창에 짙어 갔다. 하인들은 서둘러 램프에 불을 밝혔다.

집사는 검은 천으로 싼 대형 그림을 조심스레 벽에 걸었다. 불빛이 벽에 반사되어 일렁거렸다.

암스는 지팡이를 그러쥔 채 천천히 그림 곁으로 걸어가서 천을 벗겼다.

파더스 가문을 상징하는 사자, 호랑이, 독수리 그리고 왕관이 모두 사라지고 없었다.

6개의 검은 방패가 둘러싼 것은 한 송이 흰 꽃이었다. 지켜보는 이들 가운데 웅성거림이 일었다.

"아버님, 저 꽃은 무슨 의미입니까? 생소합니다." 첫째 아들 레이가 물었다.

"연꽃이다." 암스는 좌중을 둘러보며 말했다.

"네, 물론 연꽃입니다만…왜 저 꽃이 저희 문양에 새겨졌는지?" 아들은 재차 물었다.

"연꽃은 진흙탕에서 자라지만 진흙에 물들지 않는다. 연꽃잎에는 단 한 방울의 오물도 머무르지 않는다. 그대로 굴러떨어진다. 물속의 나쁜 냄새는 사라지고 좋은 향기를 연꽃이 낸다. 연꽃은 어떤 곳에 있어도 푸르고 맑은 줄기와 잎을 유지한다. 연꽃의 모양은 둥글고 원만하다. 연꽃은 색깔이 곱다. 마음과 몸을 맑고 포근하게 한단다."
아버지는 부드러운 미소를 지었다.

"하지만 아버님, 오랫동안 이어온 파더스의 문양에 나약한 꽃이 추가되리라고는 감히 상상을 못 했습니다." 둘째 아들 좌네가 한 발짝 앞으로 나서며 머쓱해진 표정을 지었다. 차가운 스모키 실버를 한 긴 머리칼이 찰랑거렸다. 그는 어머니를 쏙 빼닮았다.

"연꽃의 줄기는 부드럽고 유연하다. 절대로 쉽게 부러지지 않는다."
그는 목에서 가래가 올라 온 듯, 그르렁거리며 힘들게 말을 이어갔다.

"나는 이제 너희를 세상 밖으로 내보낼 생각이다. 첫째 레이는 미국으로, 둘째 좌네는 영국으로, 셋째 살론은 이탈리아로, 넷째 칼른은 브라질로, 다섯째 오나는 인도로, 여섯째 해즐너는 중국으로 갈 것이다. 그리고 명심해라. 너희의 이름에는 항상 파더스가 붙어 있다는 사실을…. 그리고 저 꽃의 의미를…"
파더스 형제들은 머리를 어색하게 수그리며 아버지의 뜻을 받아들였다.

암스는 마지막으로 그의 막내 아들에게로 갔다.

"너는 이제 아프리카로 갈 것이다. 그곳에서 너의 뿌리를 건설하거라. 그리고 명심하거라. 너는 지금부터 파더스 가문의 아들이다. 그리고 늘 시선을 미래에 머물기를 희망한단다. 아들아."
그는 파더스 문장을 그의 일곱 번째 아들에게 주었다. 그리고 처음으로 그를 보듬었다.

남킹 판타지 소설집

하니은 매화

남킹 컬렉션 #015

남킹 컬렉션 #018

천일의 여황제

세빈의 남자

남킹 판타지 소설

NOVELIST

NAM KING

그레고리 흘라디의 묘한 죽음

남킹

남킹 컬렉션 #001

남킹 컬렉션 #002

거짓과 상상
혹은
죄와 벌

남킹 장편소설

신의 땅
물의 꽃

남킹 장편소설

남킹 컬렉션 #003

심해

DEEP SEA

남킹 SF 장편소설

남킹 컬렉션 #004

남킹 컬렉션 #005

당신을 만나러 갑니다

남킹 사랑 이야기

블루 드래곤

744

남킹 대본집

남킹 컬렉션 #006

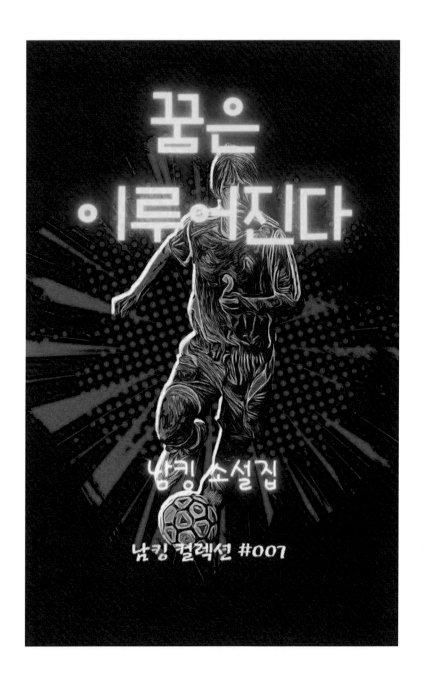

파벨 예언서

떠오르는 위협

남킹 장편소설

남킹 컬렉션 #008

떠날 결심

남킹 미니픽션

남킹 컬렉션 #009

리셋
Reset

남킹 SF 소설집

남킹 컬렉션 010

남킹 컬렉션 #011

1월의 비

남킹 감성 소설집

남 킹 컬렉션 #012

남킹의 문장 1

언 어 의 마 법 사 남 킹 의 문 장 들

남킹 컬렉션 #013

남킹의 문장 2

언어의 마법사 남킹의 문장들

남킹의 문장
3

언어의 마법사 남킹의 문장들

남킹 컬렉션 #014

남킹 판타지 소설집

하니은 매화

남킹 컬렉션 #015

남킹 컬렉션 #16

남킹의 문장
4

남킹 컬렉션 #018

천일의 여황제

세빈의 남자

남킹 판타지 소설

남킹 컬렉션 #019

이방인

남킹 장편소설

거리를
비워두세요

남킹 음악 에세이

남킹 컬렉션 #020

사랑 그 쓸쓸함
에 대하여

남 킹 음악산문

남킹 컬렉션 #021

남킹의 문장 1
브런치 스토리

남 킹

남킹 컬렉션 #022

알리칸테는

언제나 맑음

남 킹 에 세 이

남킹 컬렉션 #023

길에 내리는 빗물

남 킹 소 설 집

남킹 컬렉션 #024

서글픈 나의 사랑

남킹 장편소설

남킹 컬렉션 #025

남킹 SF
소설집

브런치 스토리

남킹 컬렉션 #026

브런치 스토리

남킹 사랑 소설집

남킹 컬렉션 #028

남킹 스토리
브런치 스토리

남킹 컬렉션 #029

남킹 스토리 2

브런치 스토리

남킹 컬렉션 #030

THE STORY

NAM KING

HAPPY DAY

MY DREAM

Nam King Collection
#001 ~ #444